Stadt der Füchse

Katrin Schumacher

NOVELLIX
— *stories to go* —

www.novellix.com/de

Stadt der Füchse

Novellix, Bondegatan 11, 116 23 Stockholm
info@novellix.com
Covergestaltung: Lisa Benk
Motiv: Caspar David Friedrich
Wiesen bei Greifswald bpk, Hamburger
Kunsthalle, Elke Walford
Druck: Livonia Print, Riga 2025
ISBN: 978-91-7589-729-5

„Ist nicht die Zeit gekommen, da sich Mensch und Fuchs gemeinsam niederlegen sollen?“

Henry David Thoreau, 31. August 1839

Du siehst schrecklich aus, sagt S. Er trinkt einen Schluck Kaffee aus der blauen Tasse.

Ich weiß, sage ich, hab das Schlaflos gezogen. Und einen Fuchs getroffen. Gestern vor der Haustür, da wo das Pflaster offen ist.

S. sagt, ein Stadtfuchs, weißt Du, dass mehr Füchse in der Stadt wohnen als auf dem Land. Die paaren sich nicht mal mehr untereinander. Landfüchse und Stadtfüchse, die haben ganz verschiedene Gene.

Und wo lebt der hier, der Fuchs.

Ich glaube auf der Brache die Straße hoch, sagt S., da sind doch Büsche. Er braucht doch Büsche.

*

Ich erinnere mich an gestern Nacht, nach Hause kommen, die Kopfsteine frühlingskalt, ein verfrorener Mai, die Haustür mit den Einbruchspuren, das splittrige Holz am Schließbolzen, seit Wochen schon der Lack verschrammt, die Tür, und daneben die beiden Mülltonnen. Ich wohne am Marktplatz, gleich über Tchibo. Ich bin in der Stadt, denke ich oft, und alles, was meine Stadt weiß, merke ich, sehe ich, sobald ich aus dem Fenster schaue. Ich höre es durch das Glas. Höre die Trommeln montags, das Kinderkarussell mit den fliegenden Pferden, die Stadtkapelle am Sonntag, die Turmbläser zur Dämmerung, Schläge zur Viertelstunde. Vor meiner Haustür steht eine Litfaßsäule mit den Stadtnachrichten. Ich sehe, höre, lese. Und stehe vor der Haustür mit den Spuren vergeblicher Einbrüche. Es ist Nacht und ich sehe, was mich am Morgen wieder baulärmend wecken wird: das verletzte Pflaster.

In der Fußgängerzone unter meinem Fenster sind Steine aus dem Boden gerissen, ein Loch gefüllt mit Erde und Sand, und in der Mitte steckt eine gelbe Metalldüse. Ich betrachte diesen Haken, den ich nicht verstehe, aber ganz schön finde, wie er so aus dem Boden ragt im Schein der Straßenlaterne. Ich bleibe noch ein bisschen stehen vor der Tür, das Nachtlicht in meiner Stadt ist orange und funzelig, und vielleicht deshalb nehme ich ihn erst jetzt wahr. Ein Vorüberwischen im Augenwinkel. Er huscht zwischen den Mülltonnen durch zum Loch. Schaut kurz hinein, macht eine halbe Runde am Rand, dreht um und läuft sie wieder zurück, er bleibt stehen und wir sehen uns an. Er ist schmal und ruhig, schaut, weicht zackig zurück, kommt wieder. Der Fuchs steht still und sicher auf seinen vier Beinen. Er sieht zerzaust aus, der Schwanz dünn und das Fell struppig. Wir sehen uns an und ich atme aus.

Nachtwächter der Natur, das fällt mir später ein, nannte H.D. Thoreau die Füchse, die um ihn herum im Wald lebten. Nachtwächter, die die Tage miteinander verbinden. Rau und dämonisch kommen sie in seinem Text daher, wie verwilderte Waldhunde. „Und wenn wir nach Jahrtausenden rechnen," schreibt er, „sollte da nicht die Zivilisation bei den Tieren grade so gut wie bei den Menschen Fortschritte machen? Sie schienen mir wie rudimentäre Höhlenmenschen zu sein, die sich noch gegen ihre Feinde verteidigen und ihre Transformation erwarteten. Bisweilen wurde einer von ihnen durch meine Lampe an mein Fenster gelockt, bellte mir einen Fuchsfluch zu und verschwand."

Dann im Bett, S. schläft so laut, dass ich wieder nicht schlafen kann, dass ich keinen ruhigen Atem bekomme, ich halte die Gardine weg vom Fenster und schau in die Nacht, runter zum Loch. Die Laternen bescheinen einen Frieden, kein Mensch auf dem Marktplatz, kein Fuchs, den ich sehe. Und doch bewegen sie sich überall in der Stadt. Die Menschen schlafen, die Füchse ziehen durch ihre Reviere. Schnüren zwischen den geparkten Autos, von Brombeerhecke zu Brombeerhecke. Den Füchsen, denke ich, geht es wie uns Menschen. Sie werden immer mehr, ziehen in die Städte, essen immer opulenter, von dem was wir wegschmeißen. Wir essen vom selben Teller. Und wenn wir Menschen dem Fuchs begegnen, erzählen wir uns ein Märchen vom wilden Tier.

Wie viele Füchse leben in meiner Stadt? Ich finde im Schein des Telefons Zahlen, die so unterschiedlich sind, dass keine zu gebrauchen ist. Ein Fuchs pro Quadratkilometer? Es sind doch sicher mehr, und noch mehr in den Siedlungen. In Berlin leben tausend Füchse, sagen die einen, die anderen schreiben, es sind fünfzehntausend. In London könnten es zwölf Füchse pro Quadratkilometer sein, vielleicht aber auch viel weniger. Wer weiß. Ich muss S. fragen und die Zahlen lassen mich einschlafen, denn sie sind da.

*

Ein Rattern, das Pflaster wird aufgeschmissen, mein Traum dreht eine halbwache Runde um eine im Abriss begriffene Ritterburg, einen im Flug begriffenen Zug, ich merke im Wachwerden, das sind die Menschen, und zwar jetzt, die das Pflaster unter mir, unter meinem Fenster aufreißen, fortfahren es aufzureißen, um halb acht, da will Gas oder Glasfaser, da will irgendwas Aufmerksamkeit, und ich werde wach in der Stadt, von der ich denke, sie ist für mich gemacht, für mich Menschin von Menschinnen, wer gräbt da schließlich Höhlen, wer gräbt sich einen Bau, einen Glasfaserbau. Die Stadt zu früh in meinem System, aufgewacht, halb acht.

S. hält mir die blaue Tasse hin, sagt, du siehst müde aus.

Ich weiß, sage ich, musst du mir nicht immer sagen. Ich habe von Füchsen geträumt und dann wieder diese Bauarbeiten, was arbeiten die da eigentlich, was machen die da, mitten in der Fußgängerzone.

Ich weiß es nicht, sagt S., vielleicht graben die einen Eiskeller.

Der Fuchs, sage ich, ich hab ihn gegoogelt. Weißt du, dass die Füchse in der Stadt angeblich kleinere Gehirne und kürzere Schnauzen haben als die Füchse im Wald? Ich hab ja gedacht, Du erzählst mir Quatsch mit den Genen, aber scheint zu stimmen. Sie domestizieren sich selbst.

S. sagt, dass er das nicht glaubt, weißt du, das haben die Katzen und Wölfe vor Jahrtausenden getan. Und wirklich gut ist ihnen das nicht bekommen. Welcher Fuchs will freiwillig in einer Menschenwohnung leben und am Kratzbaum wackeln. Oder Gassi gehen.

Was macht ein Fuchs in der Stadt, denke ich, beiße in mein Brot, was braucht ein Fuchs in der Stadt.

S. ist Fuchsforscher, oder nein, er hat kürzlich ein Buch über Füchse geschrieben, er ist also Fuchserzähler. Was er über Füchse weiß, hat er aufgeschrieben, immer wieder hat er Lesungen, wenn wir zusammen sind, sprechen wir über vieles, aber selten über Füchse. Manchmal ist S. zu lange fort und ich wünsche mir, er hätte ein Buch über mich geschrieben und ginge mit mir zu Lesungen, erzählte einem Publikum von mir, so wie er über seine Füchse erzählt.

*

Die Bauarbeiten haben aufgehört. Weshalb machen die das, immer nur eine Stunde Lärm am frühen Morgen und ziehen dann wieder ab. Weiß der Fuchs, sagt S. und ich sag nichts darauf. Mit der Einkaufstasche und meinem Portemonnaie geh ich aus dem Haus, am Loch vorbei, will zum Markt und gehe stattdessen die Straße hoch zur Brache. Der Tag riecht nach Blüten und ich will zu den Büschen. Auf dem Weg beginne ich die Ränder abzusuchen. Gras, Zigarettenstummel, ein Löwenzahn. Dieses Gelände taugt nicht mal als Parkplatz. Erdhaufen liegen auf der unplanen Fläche, ganze Pulke von Löwenzahn stehen gelb in der Gegend, Spitzwegerich erkenne ich, wuchernden Giersch, eine Brennnesselecke gleich vorne an der Hauswand, war klar, denke ich, Brennnesseln lieben Stickstoff und den liefern die Marktplatzbesucher nach dem dritten Bier.

Eine unentschlossene dünne Kette trennt den Bürgersteig vom Eingang zur Brache. Ich steige zwischen zwei Queckenbüscheln über die Kette, stapfe vorsichtig durch das Kraut auf die Hügel zu. Wenn hier ein Fuchs lebt, dann weiß er schon mit meinem ersten Schritt in seinem Revier, dass ich näher komme. Ich zupfe ein paar kleinere Gierschblättchen und lege sie in meine Tasche. Sie werden dem Salat heute Abend eine leichte Bitternote verleihen.

Ich sehe das Spielzeug erst, als ich fast drauftrete. Kleine Knochen, Taubenfedern, eine rote Luftballonhaut, und die Erde trocken und krümelig, aufgeworfen, Wischspuren. Etwas weiter den Abraumhügel hinauf, gut verdeckt durch Gierschbüschel und Hahnenfuß, ist das Loch.

*

Wo warst du, sagt S., deine Hose ist ganz dreckig. Ich leere die zerknickten und schlaffen Gierschblätter auf den Küchentisch und lege die Einkaufstasche in den Schrank.

Hast du eingekauft, fragt S., du siehst schlimm aus.

Ich erzähle ihm nicht, wo ich gewesen bin, die Abendsonne kommt durch die Buntglasfenster in der Küche und ich sage, nein, ich habe nicht eingekauft, lass uns heute essen gehen.

S. sagt, dass er noch schreiben muss.

Vom großen Fenster aus, das zum Marktplatz zeigt, sehe ich in das Menschenloch im Pflaster und denke an das Fuchsloch in den Büschen. Erde ist verwittertes Gestein, kleine Körnchen, tote Pflanzenteile, Salze, trocken heute, schmierig, wenn es regnet. Die Erde um das Fuchsloch herum roch staubig und hell, aber da war noch etwas anderes. Ein Geruch wie eine gerade geöffnete Dose Nescafé. Bernsteinfarbener Geruch, dunkel, fremd. Als die Sonne um die Hausecke kam und das Licht vor dem kleinen Loch nur noch von den Blättern der Esche abgehalten und zerteilt wurde, muss ich eingeschlafen sein.

Als ich wieder aufwachte, lag ich vor dem Fuchsbau mit dem Kopf auf der Einkaufstasche, lag zwischen den Knochen und Federn. Mein Blick fiel direkt in das Loch. Auf zwei winzige Gesichter. Zwei Nasen und unstete runde Augen, volle Wangen, michelangelorosa, kleine Lippen und daraus schillernde Spuckefäden. Babygesichter im Schatten der Höhle. Ich zuckte zurück vor diesen Gesichtern, klein und schön. Wachte nun wirklich auf, wo ist meine Tasche, hetzte von der Brache die Straße runter zur Haustür.

Das waren doch keine Fuchsgesichter. Ich starre mich immer tiefer in das Erdloch mit dem gelben Haken, und in die Bilder vom Nachmittag. Wie lange hatte ich in den Büschen geschlafen? Der Marktplatz strahlt nun rosa und orange, das Rathaus mit den Steinfiguren an der Seite leuchtet, nicht lange mehr, dann wird sich die Dämmerung über die Stadt legen und die Straßenlaternen werden anspringen.

Ich geh nochmal raus, rufe ich, S. brummt etwas ins Zufallen der Tür. Die zwei Eier, die ich aus dem Kühlschrank genommen habe, stecke ich vorsichtig in die Westentasche.

Der Kaffeeladen hat vergessen, die Werbefahne einzuholen, sie bewegt sich im Abendwind, der auch meine Haare bewegt, an den Armen stellen sie sich auf. In S. Bücherregal steht ein Buch von einem Engländer, der eine Zeit lang versucht hat, wie ein Fuchs zu leben, der sich unter die Rhododendren in einem Londoner Park gelegt hat. Was hat er herausgefunden, während er sich des Nachts neben zwei äsenden Füchsen ins Gras fallen ließ und kleine taugefangene Schnaken mit Ihnen abfraß. Während er sich mit einem Fuchs um ein Hühnchenbein aus dem Müll stritt. Dass Tiere die Stadt effektiver, feiner, inniger bewohnen. Das waren die Worte, die ich im Klappentext gelesen habe, und was für eine Idee: innigeres Bewohnen. Wie geht das denn. Wie eine kleine Melodie sag ich mir diese zwei Worte auf, laufe über den leeren Marktplatz und dort steht der Mond, den ich erst jetzt bemerke, in weißer Konkurrenz zu den orangenen Lampen.

Als ich den Kopf senke ist mir ein bisschen schwindelig und was mache ich hier bloß, ich schleiche mich in die Büsche um die kleinen Füchse oder Babys, diese Wesen zu sehen, sicher zu gehen, dass ich mich getäuscht habe und meine Augen, mein Hirn einfach etwas verwechselt haben. Während ich die Straße hochgehe, schaue ich auf das beleuchtete Wohnungsfenster, wir leben im zweiten Stock und ich sehe S., der am großen Fenster steht und auf den Marktplatz schaut. Mich kann er nicht sehen, ich bin schon im Rathausschatten, und der Lichtbewegungsmelder der Parkgarage reagiert erst, wenn es Nacht ist.

Die Kette, die Pflanzen, meine Augen haben sich an das Halbdunkel gewöhnt. Ich finde ohne Mühe den Pattweg, den ich mir heute Morgen erlaufen habe. Und plötzlich ist sie neben mir, die Fähe der gestrigen Nacht, struppig wie ich sie in Erinnerung hatte und sie trägt etwas in ihrer Schnauze, etwas mit einem Strickfadendünnen Schwanz. Sie überholt mich und stellt sich vor mich, stoppt meinen Weg zum Bau, scheint mir, und lädt mich gleichzeitig ein. Sie läuft einen Meter, kommt zurück, läuft einen Meter, wie ein Hund, denke ich, wieso ist sie nicht scheu, sie möchte, dass ich mitkomme. Ihr dunkeloranges Fell leuchtet im Zwielicht, die weiße Zeichnung des Gesichts. Ihr Schwanz ist dünn und fast haarlos, und ich weiß, ein solch magerer struppiger Fuchs im Frühjahr, das muss eine Fähe sein, das hat S. mir einmal erzählt, die Fuchsfrau gibt ihren ganzen Leib für die Neugeborenen, und die saugen sie aus, beißen ins Fell, spielen mit dem Schwanz.

Die Fähe läuft voraus und dann sehe ich sie, die Zwillinge. Aus einem Rascheln heraus hören sie auf zu spielen, stehen still in ihrem Vierfüßlerstand und blicken in unsere Richtung. Die kleinen Wesen haben helle Gesichter, ich hatte mich also nicht getäuscht, um ihre Münder herum sind Staubränder und ihre Körper sind mit einem wolligen Fell eingepackt, wie große Maulwürfe sehen sie aus, nur mit runden Gliedern unter dem Haar. Sehr langsam setze ich meine Füße Richtung Bau auf den Boden und gehe in die Knie. Die beiden Fuchswesen sehen mir genau zu und wie ihre Mutter laufen sie kleine Schritte rückwärts und dann wieder vor, immer ein Stückchen näher. Die Eier in meiner Weste, sie sind heil geblieben und ich lasse sie in Richtung des Baus rollen.

Hier, hey, wer seid ihr? Meine Frage stelle ich ganz leise, trotzdem erschrecken sich die Kleinen und verstecken sich zwischen den Läufen der Fähe. Die wiederum läuft neugierig zu den Eiern, stupst sie an mit der Nase und hebt diese dann in meine Richtung.

Das sind Eier, die sind gut, sage ich, und als ob sie mich versteht, leckt sie schnell mit ihrer Zunge über eine Schale und nimmt das Ei dann vorsichtig in ihr Maul. Sie läuft zum Loch, läuft hinein, ihre Jungen schauen ihr nach, aber bevor die sich in Bewegung gesetzt haben, ist die Füchsin schon wieder da, ohne Ei, auf dem Weg zum zweiten. Auch das trägt sie in den Bau.

Wie es darin wohl aussieht? S. hat mit erzählt, dass Füchse Messies sind, sie haben eine solche Unordnung um sich, dass sich andere Tiere fernhalten. Wenn ein Fuchs in einen Dachsbau ziehen will, dann geht er hinein und macht erstmal eine grandiose Unordnung wahr, vor der sich der reinliche Dachs in Sicherheit bringt. Ob das in der Stadt auch so ist? Sind Stadtfüchse ordentlich? Wenn doch die Gene schon verschieden sind, ist es vielleicht auch der Sinn für Ordnung? Wobei: Ordnung, Unordnung, das sind doch einfach mal Menschenkategorien.

Die Fähe stellt sich wieder vor mich, blickt mich an, macht diese vor- und zurückweisenden Schritte, die ich nun schon kenne. Was will sie von mir. Sie will doch nicht, dass ich mit in den Bau komme. Ich schaue noch einmal genauer auf das Loch und denke, dass es doch größer ist, als ich es zuerst wahrgenommen habe. Mittlerweile ist es einigermaßen dunkel, aber ich sehe alle Details. Die Pflanzen, die den Bau verstecken. Da ist eine weiße Flaumfeder, die sich im Kraut verfangen hat. Die Fähe macht einen heiseren Laut und die Kleinen rücken an sie heran. Alle drei schauen mich an.

Auf den Händen und Knien bewege ich mich an den Bau heran. Neben der Brache klickt der Bewegungsmelder der Parkgarage. Im Rinnstein laufen fünf Mäuse und auf der Kante vom Rathausdach bewegt sich eine Taubenfamilie im Schlaf. Das Rauschen der Stadt zerfällt immer deutlicher in einzelne Geräusche. Und nun kann ich sie sogar riechen, die Tauben, ihre Schnäbel, die ganz anders riechen als ihre Flügelspitzen. Meine Hände können den Boden riechen und meine Haare bewegen sich viel zu deutlich im Wind. Alles wird zu laut und zu streng und zu viel und als mich die Füchsin zusammen mit ihren Kleinen in ihren Bau schiebt, nehme ich dankbar die Flucht ins Erdinnere. Meine Augen sehen nicht mehr viel, meine Hände und meine Nase wissen genau, wo ich bin. Durch einen Tunnel sind wir in einer Art Kessel gelandet, in dem ich aufrecht sitzen kann, der Boden ist weich, gepolstert mit Federn und Halmen. Die Babys wollen spielen, knabbern an meiner Weste, da sind auch die beiden Eier, ich nehme eines und breche vorsichtig ein Loch in die spitze Seite der Schale. Ein Kleines kommt heran und ich halte ihm das geöffnete Ei vors Gesicht. Es leckt über das Loch und die Haut des Dotters platzt, sodass die gelbe Flüssigkeit über sein Gesicht läuft. Schnell kommt das andere Kleine und findet seinen Teil der Köstlichkeit. Sie lecken das Eigelb und das Eiweiß und zerbeißen die Schale. Ich merke, wie mich die Fähe allein lässt mit ihren Welpen, wie sie locker auf den Läufen in die Nacht schnürt.

⋆

Wo bist du denn, fragt S., aber er bekommt keine Antwort, denn sie ist nicht da. Zwei Runden ist er gegangen, über den Marktplatz, an der Kirche vorbei, am Roten Turm, am Theatercafé bis zur Oper.

Ist am Potemkin vorbei, am Literaturhaus und am Wolkenkuckucksheim. Nirgendwo sie an einem Tisch. Nachdem sie die Tür zugezogen hatte am frühen Abend, hatte er sich nochmal an seinen Text gesetzt und die Zeit vergessen. Dann hatte das Licht nicht mehr gereicht, um in den Büchern zu blättern und er bekam Hunger, der Kühlschrank leer, gerade mal noch ein Ei, und wie war das mit essen gehen. In dem Moment musste er merken, dass sie noch nicht wieder in der Wohnung war. Weshalb war sie denn verdammt nochmal nachts unterwegs.

Die Haustür ist immer noch kaputt, denkt S., und sucht nach dem Schlüssel mit dem blauen Ring. Na gut, wenn sie unbedingt ausgehen will, hätte mir schon sagen können, mit wem. Und wohin. Um den Schlüssel zu erkennen, muss er sich ins Laternenlicht drehen, und da steht es, dieses hochbeinige zottelige Tier. S. hält an in der Bewegung. Ein Stadtfuchs, das muss der gleiche sein, den sie gesehen hat gestern Nacht, eine Fähe, ganz ohne Angst, das ist seltsam, nein, nicht wirklich. Dass die Füchse in der Stadt ihre Scheu verlieren und ihrer Neugier folgen, das ist schon lange zu beobachten.

Aber dieses Exemplar scheint ja besonders zutraulich. Die Fähe fixiert S. und kommt näher.
Wer bist du denn, sagt S. leise und fasst das Schlüsselbund so, dass es nicht scheppert. Er geht in die Knie, wer bist du denn? Der Fuchs kommt noch näher, bis auf einen Meter heran und steht nun zwischen S. und dem Loch im Pflaster. Lange schauen sie sich an, bis S. wieder aufsteht und sich zur Tür dreht. Der Schlüssel im Schloss, das Knarren der Holztür, als er den Flur betritt, huscht auch die Fähe mit. Du willst rein, fragt er und bemerkt eine weiße Flaumfeder, die sich in dem Fuchsfell am Rücken verhakt hat. Na komm. Was passiert hier, denkt S., ein wildes Tier will eine Menschenwohnung besuchen. Das Tier läuft hinter ihm die Treppe hinauf und huscht in die Wohnung, sobald S. die Tür geöffnet hat.

Die Fähe steht abwartend auf dem Teppich im Flur und scheint ihm mit einem Mal größer als auf der Straße. Hast du Hunger? S. geht durch die Küchentür und auf den Kühlschrank zu. Zwischen eingelegtem Ingwer, Salzzitronen und einem Rest Ketchup liegt das Ei.

S. nimmt es in die flache Hand und hält es der

Fähe hin. Im Lichtkegel der Küchenlampe sieht ihr Fell nicht mehr so struppig aus und die bernsteinfarbenen Augen leuchten. S. streckt die Hand mit dem Ei noch ein wenig weiter vor. Keine Angst, Füchsin. Sie riecht streng, die Wohnung fängt an, wild zu werden. Wie erzähl ich das Stella, was erzähl ich. Dass ich eine Füchsin in unserer Wohnung füttere, die sich selbst eingeladen hat?

Die Fähe hat das Ei auf dem Küchenboden zerbissen und alles aufgegessen und aufgeleckt, was da war. S. geht zur Spüle, will einen Schwamm holen, während die Fähe ihn beobachtet. Er wischt kurz über den Boden und wirft den Schwamm in das Becken. Zehn Zentimeter zu weit, und die blaue Tasse kippelt auf der Küchenzeile. Ein Huschen, blitzschnell ist die Fähe an der Zeile, streckt sich und stupst die Tasse mit der Pfote in Sicherheit. Danke, sagt S., und schließt die Augen halb. Mit schmalem Blick die Worte: Das ist meine Lieblingstasse.

Nun streift sie durch die Wohnung, sie huscht von Zimmer zu Zimmer, huscht in der warmen Wohnung umher und bleibt schließlich vor S. Schreibtisch stehen. Sie springt auf den Stuhl, legt sich zurecht auf dem Kissen. Sie legt ihren Kopf auf ihren Schwanz, der gar nicht mehr dünn, sondern glatt und buschig aussieht, glänzend orange. Sie steckt ihre weiße Schnauze in ihr eigenes Fell und schließt die Augen. Du willst dich ausruhen?

S. setzt sich auf den Sessel neben seinem Schreibtisch und betrachtet die Füchsin.

Du siehst schön aus, sagt er.

Bisher bei Novellix auf Deutsch erschienen

Nr. 1 Annemarie Schwarzenbach *Eine Frau zu sehen*
Nr. 2 Selma Lagerlöf *Die Geisterhand*
Nr. 3 Charlotte Perkins Gilman *Die gelbe Tapete*
Nr. 4 Simone de Beauvoir *Marcelle*
Nr. 5 Jane Austen *Die drei Schwestern*
Nr. 6 Judith Hermann *Träume*
Nr. 7 Virginia Woolf *Lappin und Lapinova*
Nr. 8 Stefan Zweig *Das erste Wort über den Ozean*
Nr. 9 Anke Stelling *Heilsversprechen*
Nr. 10 Sara Stridsberg *Wir waren Raubtiere*
Nr. 11 Daniela Dröscher *Ophelia, mach hinne*
Nr. 12 Ingvild H. Rishøi *Wir können nicht allen helfen*
Nr. 13 Lena Gorelik *Keine Weihnachtsgeschichte*
Nr. 14 Hans Fallada *Weihnachten in Berlin*
Nr. 15 Sarah Khan *Weihnachten mit Hüsniye*
Nr. 16 Selma Lagerlöf *Ein Weihnachtsgast*
Nr. 17 Astrid Lindgren *Allerliebste Schwester* und *Mirabell*
Nr. 18 August Strindberg *Ein Puppenheim*
Nr. 19 Stig Dagerman *Die Kälte der Mittsommernacht ist hart*
Nr. 20 Selma Lagerlöf *Ein Stück Lebensgeschichte*
Nr. 21 Jackie Thomae *Sagrada Familia*
Nr. 22 Dmitrij Kapitelman *Überm Strich*
Nr. 23 Till Raether *Hauptsache, dir gefällt's*
Nr. 24 Katrin Schumacher *Stadt der Füchse*

Bisher bei Novellix auf Englisch erschienen

Virginia Woolf *Lappin and Lapinova*
D.H. Lawrence *Sun*
Katherine Mansfield *Bliss*
Charles Dickens *Horatio Sparkins*
Astrid Lindgren *Most Beloved Sister & Mirabelle*
August Strindberg *Frictions*
Selma Lagerlöf *The Silver Mine*
Karin Boye *Ella Breaks Free*
Oscar Wilde *The Nightinggale and the Rose…*
Mary Shelley *The Trial of Love*
Leo Tolstoy *After the Dance*
Virginia Woolf *The Legacy*
Karen Blixen *The Pearls*
Henrik Pontoppidan *The Grim Reaper*
Virginia Woolf *Kew Gardens*
James Joyce *The Boarding House*
Edith Wharton *The Quicksand*
Katherine Mansfield *The Garden Party*